KB035841

# 찰리, 처음으로 이빨을 뽑다!

SEOUL, 2013

# 찰리, 처음으로 이빨을 뽑다!

초판 제1쇄 발행일 2013년 1월 20일
초판 제26쇄 발행일 2022년 3월 20일
글 힐러리 매케이 그림 샘 헌 옮김 지혜연
발행인 박헌용, 윤호권 발행처 (주)시공사
주소 서울시 성동구 상원1길 22, 6-8층 (우편번호 04779)
대표전화 02-3486-6877 팩스(주문) 02-585-1247
홈페이지 www.sigongsa.com/www.sigongjunior.com



ISBN 978-89-527-8644-9 74840
ISBN 978-89-527-5579-7 (세트)

*시공사는 시공간을 넘는 무한한 콘텐츠 세상을 만듭니다.
*시공사는 더 나은 내일을 함께 만들 여러분의 소중한 의견을 기다립니다.
*잘못 만들어진 책은 구입하신 곳에서 바꾸어 드립니다.

# 찰리, 처음으로 이빨을 뽑다!

힐러리 매케이 글 • 샘 헌 그림
지혜연 옮김

시공주니어

차례

# 제1장

# 첫 번째 이빨

찰리에게는 흔들리는 이빨이 네 개나 있다.

많이 흔들리는 이빨 하나,
흔들흔들하는 이빨 하나,
약간 흔들리는 이빨 하나,
그리고 막 흔들리기 시작한
이빨이 있다.

그 이빨들이 한꺼번에

흔들리고 있었다. 그런데 찰리는 기대에 부풀어 있었다. 이빨이 흔들리기는 처음이기 때문이었다.

찰리에게는 맥스라는 형이 있다. 맥스는 아주 똑똑하다. 맥스는 대부분의 사람들이 모르는 사실들을 많이 알고 있다. 예를 들어 껌의 재료가 무엇인지, 자석이 어떻게 작용하는지, 그리고 낯선 강아지가 순한지 사나운지 구별하는 법도 안다. 맥스는 아는 것도 많고 늘 옳기 때문에, 말다툼을 할 필요가 없다.

궁금한 것이 생기면 찰리는 맥스에게 물으러 가곤 한다. 그리고 다른 사람에게 자기 말이 사실임을 증명하고 싶으면 이렇게 말한다.

"내 말을 못 믿겠으면, 우리 맥스 형에게 물어봐."

찰리가 그렇게 말하면 같이 이야기하던 사람은 누구나 그 말이 사실이라고 받아들인다. 다들 맥스가 얼마나 똑똑한지 알고 있기 때문이다.

이런 이유로 맥스는 무척 도움이 되는 형이다.

하지만 찰리의 이빨이 네 개나 흔들리기 시작했을 때, 맥스는 그다지 도움이 되지 않았다.

찰리는 맥스에게 가장 많이 흔들리는 이빨을 보여 주면서 물었다.

"어떻게 하면 빨리 뽑을 수 있어?"

맥스가 이빨을 보더니 말했다.

"빨리 뽑을 수는 없어. 그렇게 심하게 흔들리지도

않는데, 뭐! 그런 상태가 아주 오래갈 거야. 그런데 무엇 때문에 서두르는 건데?"

"이빨 요정 때문에 필요하단 말이야."

찰리는 손가락을 입에 집어넣은 채 대답했다. 그러고는 제일 많이 흔들리는 이빨을 더 흔들어 댔다.

찰리는 이빨들이 빠지기를 손꼽아 기다렸다. 찰리의 가장 친한 친구 헨리가 이빨 요정에 대해 이야기해 주었기 때문이다. 빠진 이빨을 베개 밑에 두고 자면, 이빨 요정이 이빨을 가져가는 대신 돈을 놓아 둔다고. 찰리는 이빨이 빠질 때마다 하나씩 베개 밑에 둘 작정이었다.

맥스가 한심하다는 듯 말했다.

"이빨 요정! 이빨 요정은 꼬마들이나 믿는 얘기지!"

"꼬마들?"

맥스가 대답했다.

“그래, 그리고 이빨 요정은 이빨 낭비일 뿐이라고.”

“이빨 낭비?”

“무슨 소리인지 너도 알게 될 거야!”

맥스는 그렇게 말하더니 가 버렸다.

맥스가 가 버린 후, 찰리는 이빨 요정 이야기가 나오면 맥스가 늘 이런 태도를 보였다는 것이 기억났다. 맥스는 자기 이빨이 빠졌을 때에도, 이빨을 베개 밑에 두지 않았다. 대신 자기만 아는 비밀 공간에 이빨을 숨겼다.

맥스는 이렇게 말했다.

“아니, 자고 있을 때 이빨 요정들이 침대 주변을 기어 다니기를 바라는 사람이 어디 있어? 그리고 대체 어떤 사람이 돈을 받고 자기 이빨을 판다는 거야?”

맥스는 흔들리는 이빨에 관한 한 전혀 도움이 되지 않았다. 하지만 찰리와 가장 친한 친구인 헨리는 달랐다.

헨리는 이빨에 대해서 만큼은 전문가였다. 이미 네 개나 빠졌지만 전혀 신경 쓰지 않았다. 이빨이 빠진 자리에 생긴 까만 구멍도 좋아했다. 이빨 네 개를 모두 헨리가 직접 뽑았는데, 그것도 무척 재미있어했다. 헨리는 언젠가 치과 의사가 될 생각이었다. 이빨을 뽑는 재미 하나만으로도 치과 의사가 될 이유는 충분했다.

넷 중에서 가장 흔들리던 이빨이 더 이상 흔들리지 않고 그 상태로 (맥스가 말한 대로)

영원히 빠질 것 같지 않았을 때, 헨리가 친절하게도 이빨이 빨리 빠지게 도와주겠다고 나섰다.

헨리가 찰리에게 말했다.

"정말 이빨이 빠지기를 원한다면 말이야……."

찰리가 대답했다.

"당연하지!"

"그렇다면 특별한 방법이 필요해. 사실 너에게 필요한 건 '새로 고안한 멋진 풍경 보기' 법이야."

"그래?"

헨리가 장담했다.

"내 말을 믿으라니까. 내가 전문가라고!"

이빨에 있어서는 헨리가 전문가라는 사실을 잘 아는 찰리는 이렇게 대답했다.

"좋아!"

헨리는 집으로 가서 치실을 가져오더니 찰리에게 말했다.

"일단 네 방으로 올라가자."

"왜?"

"그야 멋진 풍경을 보기 위해서지."

찰리 방으로 올라간 다음, 헨리는 치실을 길게 빼서 찰리의 가장 흔들리는 이빨에 묶었다.

그러고는 치실의 다른 쪽 끝에 묶을 수 있는 무거운 물건이 있는지 둘러보았다.

헨리가 말했다.

"큰 돌멩이가 좋은데."

불행하게도 찰리 방에는 돌멩이가 없었다. 대신 아주 무거운 타디스(영국의 인기 드라마 '닥터 후'에 나오는 전화박스 모양의 타임머신:옮긴이)가 있었다.

“이거면 될 것 같아.”

그렇게 말하고 헨리는 타디스 안에다 달렉(‘닥터 후’에 나오는 외계인:옮긴이) 세 마리, ‘닥터 후’ 인형, 구슬이 들어 있는 커다란 주머니, 그리고 런던을 상징하는 빨간색 2층 버스 모형을 넣었다. 구슬과 버스를 넣는 건 찰리의 생각이었다.

찰리는 헨리만큼이나 ‘새로 고안한 멋진 풍경 보기’ 법을 시도해 보는 것이 기뻤다. 이빨을 네 개나 뽑은 멋진 친구 헨리가 아주 자세하게 설명해 주었기 때문이다.

찰리는 헨리가 그 방법에 대해 잘 알고 있다고 확신했다. 헨리가 찰리 방의 유리창을 열었을 때까지도 그렇게 생각했다.

“자, 이제 최대한 몸을 밖으로 내밀어 봐.”라고 헨리가 말했을 때도 찰리는 그게 좋은 방법이라고 믿었다.

헨리가 말했다.

"자, 저 멋진 풍경을 봐!"

찰리가 밖을 내다보고, '뭐, 별로…….'라고 말하려는 순간이었다.

헨리가 뒤에서 엄청나게 무거워진 타디스를 들고 다가왔다.

"나를 믿어. 수백만 번도 더 해 본 방법이야."

그러고는 타디스를 유리창 밖으로 던졌다.

만약 그 순간 마침 방으로 들어오던 맥스가 무슨 일이 벌어지고 있는지를 보고, 방을 가로질러 달려와 찰리에게 태클을

걸지 않았다면, 찰리는 아마 유리창 밖으로 굴러떨어졌을 것이다.

찰리는 다행히 유리창 턱에 걸려 그 자리에 멈춰 섰다. 그리고 흔들거리던 이빨만 타디스, 달렉 세 마리, 닥터 후 인형, 커다란 구슬 주머니, 런던의 2층 버스 모형과 함께 휙 날아갔다.

찰리가 소리를 질렀다.

"으아아아아악!"

그러다 문득 소리를 멈추었다. 타디스는 땅바닥에 부딪혀 산산조각이 나고, 흔들흔들하던 첫 번째 이빨도 치실에 묶인 채 바닥에 떨어져 있었다.

"빠졌다!"

찰리는 신이 나서 소리쳤다. 그리고 이빨을 줍기 위해 아래층으로 달려 내려갔다. 헨리가 그 뒤를 따라갔다.

"자, 어때?"

헨리는 의기양양하게 물었다.

“근사하지? 대단하지 않니? 정말 유리창 밖으로 떨어질 뻔했어!”

찰리가 맞장구쳤다.

“응, 그랬어. 발이 바닥에서 붕 뜨는 느낌이 들더라니까.”

“저런! 정말 바닥에서 붕 떴어?”

“그래, 확실해. 내 말을 못 믿겠으면 우리 맥스 형에게 물어봐. 와, 이 이빨 좀 봐! 피까지 묻어 있어! 내가 생각한 것보다 훨씬 더 큰데. 오늘 밤 베개 밑에 넣어 둬야지.”

이제 찰리의 입속에는 흔들리는 이빨 세 개와 피가 묻은 검은 구멍이 하나 있었다. 찰리는 신이 났다. 찰리와 헨리는 모든 사람들에게 이빨을 보여 주었다.

맥스가 말했다.

"이빨을 그냥 간직하는 게 좋을걸!"

하지만 어른들은 모두 이빨 요정에게 주기에 딱 맞는 이빨이라고 했다.

헨리네 엄마는 이빨 요정에 대해 찰리가 미처 몰랐던 이야기를 들려주었다.

"다들 알겠지만 이빨 요정들은 깨끗한 방에만 찾아온단다."

"뭐라고요?"

찰리가 되물었다. 그리고 건너편에 있는 엄마를 쳐다보았다. 찰리 엄마도 고개를 끄덕였다. 그러자 헨리가 말했다.

"사실이야. 나도 지금까지 내 방을 네 번이나 깨끗하게 치웠어. 이빨 한 개에 한 번씩 말이야. 이빨 요정은 정말 까다로워! 시간이 무지무지 오래 걸렸다고."

맥스가 말했다.

"내가 뭐랬어. 이빨 요정은 시간 낭비라니까."

찰리는 맥스의 말에 흔들리지 않았다.

찰리는 방을 치우기 시작했다. 장난감과 신발들은 전부 발로 차서 침대 밑에 넣고, 옷 무더기는 옷장 바닥에 아무렇게나 집어넣었다. 빈백 쿠션(커다란 자루 안에 작은 플라스틱 조각을 채운 쿠션 : 옮긴이)은 가정용 화석 만들기 기계 위에 얹었다.

청소가 어떻게 되어 가는지 보러 찰리 엄마가 방으로 올라왔다. 그러고는 찰리에게 다시 한 번

일깨워 주었다.

"이빨 요정은 굉장히 까다로울 텐데."

그래서 찰리는 옷들을 서랍에 쑤셔 넣고, 신발들은 계단 난간 너머로 아래층 현관에 던져 놓고, 장난감 한 무더기를 안고 아래층 거실로 내려가 소파 뒤에 밀어 넣었다. 가정용 화석 만들기

기계는 헨리네 집에 가져다 두었다.

이제 방은 훨씬 깨끗해 보였다. 하지만 찰리는 녹초가 되었다. 찰리는 이빨을 베개 밑에 넣고 침대에 누웠다.

그날 밤 이빨 요정이 다녀갔다.

요정은 찰리에게 갓 찍어 낸 듯한, 순금처럼 반짝이는 1파운드(영국의 화폐 단위: 옮긴이)짜리 동전을 남겼다.

# 제 2 장

# 두 번째 이빨

찰리가 말했다.

"1파운드? 1파운드! 뻰뻰하기도 해라. 헨리의 이빨 요정은 2파운드를 주고 갔는데!"

찰리 엄마가 기막혀했다.

"뭐라고? 이빨 하나에 2파운드를 줬다고? 그 이빨 요정이 미쳤나 보구나. 헨리는 받은 돈을 저금통에 넣지도 않았을 거야. 틀림없이 사탕 사 먹는 데 다 썼겠지."

찰리가 대답했다.

"당연하죠."

"흠, 그렇구나."

찰리 엄마는 마치 더 이상 왈가왈부할 것이 없다는 투로 그렇게 말했다.

찰리는 헨리에게 투덜거렸다.

"너무 불공평해."

헨리도 찰리의 말이 옳다고 맞장구쳤다.

찰리는 짜증스러운 목소리로 말했다.

"1파운드라니!"

찰리 엄마가 말했다.

"필요 없으면 나에게 줘."

찰리가 말했다.

"물론 필요해요."

찰리는 헨리와 함께 돈을 가지고 길모퉁이에 있는 사탕 가게로 갔다. 두 아이는 새콤달콤한 양파링, 지렁이 모양 젤리, 막대 사탕과 풍선껌 들을 샀다.

찰리 엄마가 말했다.

"못쓰겠구나. 다음번에 네 이빨이 흔들리면, 이빨 요정에게 50펜스(영국의 화폐 단위로, 1파운드는 100펜스: 옮긴이)면 충분하다고 쪽지를 남겨야겠다."

찰리는 이빨 요정에게 쪽지를 남길 수 있다는 소리를 듣고 깜짝 놀랐다.

그 바람에 그만 불고 있던 풍선껌이 터져서 온 얼굴에 묻었다. 찰리는 풍선껌을 떼 내어 다시 씹으면서, 열심히 궁리했다.

찰리가 헨리에게 말했다.

"좋은 생각이 났어."

"뭔데?"

앞니가 다 빠진 헨리가 어금니로 막대 사탕을 씹으면서 물었다.

"다음 이빨을 뽑을 때 이야기해 줄게."

헨리가 관심을 보였다.

"다음 이빨은 얼마나 흔들리는데?"

"많이 흔들려. 점점 더 헐거워지고 있어."

마지막 지렁이 젤리를 입에 넣으면서 헨리가 찰리를 다시 일깨웠다.

"흔들리는 이빨에 관해서는 내가 전문가라고."

"그래, 알아. 지렁이 젤리는 돌려줘."

"내가 벌써 빨았는데."

"상관없어. 돌려줘."

헨리는 젤리 절반을 돌려주고, 계속 말했다.

"내 도움이 필요하다면 '아주 간단한 원격 조종기' 법도 있어."

"뭐라고?"

"아주 간단한 원격 조종기 법!"

"아파?"

"아프냐고?"

그렇게 되물은 헨리가 말을 이었다.

"아프냐고? 왜 아프겠어? 한번 해 볼래?"

"아니."

하지만 다음 날 찰리는 "글쎄……."라고 하더니, 그다음 날은 "한번 해 볼까?" 하고 말했다. 그리고 그다음 날, "좋아." 하고 대답했다.

헨리가 말했다.

"아주 현명한 결정을 한 거야. 나만 믿어. 내가 전문가잖아."

'아주 간단한 원격 조종기' 법은 찰리의 이빨에 치실을 묶고, 치실의 다른 한쪽을 원격 조종기로 움직이는 경주용 자동차에 묶는 것이었다.
찰리에게 그 방법은 정말 멋진 아이디어처럼 들렸다. 무엇보다도 (헨리가 지적한 대로) 찰리가 유리창 밖으로 굴러떨어질 위험이 전혀 없었기 때문이다.

헨리는 조종기를 집어 들고는 우쭐거리며 말했다.

“모든 작전은 땅에서 이루어지거든. 절대 잘못될 리가 없다고.”

하지만 찰리 때문에 일이 틀어지고 말았다.

자동차가 이빨에서 멀어질 때까지 찰리가 가만히 서서 기다리지 못했던 것이다.

헨리는 너무 웃겨서 배꼽을 잡으며 소리쳤다.

“자동차를 따라 뛰지 마!”

하지만 찰리는 따라 뛰지 않을 수 없었다.

헨리가 조종하는 자동차가 정원 주위를 점점 빨리 달릴수록 찰리도 빨리 달렸다. 헨리는 마치 원격 조종기로 움직일 수 있는 친구가 생긴 것 같았다. 헨리는 찰리가 앞으로 달리고, 미끄러지듯이 모퉁이를 돌고, 한 손으로 땅을 짚고 멈추었다가 급하게 방향을 바꾸어 달리게 만들었다. 찰리는 달리는 내내 입을 크게 벌리고 "안돼애애애애애!" 하고 소리를 질렀다.

그렇게 재미있는 일은 정말 오랜만이었다. 찰리가 자동차 위로 넘어지지만 않았다면, 헨리는 아마 오후 내내 계속했을 것이다.

찰리의 경주용 자동차는 바퀴 하나를 잃고, 찰리는 양쪽 무릎에 상처가 났다. 헨리가 웃음을 멈추지 않자, 찰리가 헨리에게 달려들었다. 그

바람에 원격 조종기에 달린 안테나가 부러졌다. 찰리는 헨리를 납작하게 깔아뭉개고 그 위에 올라타서는 헨리의 목뒤로 풀을 잔뜩 집어넣었다.

그때 문득 입안의 느낌이 달라졌다는 것을 깨달았다.

"내 이빨!"

찰리가 소리쳤다. 삐죽삐죽하고 멋진 이빨이 자동차에 매달려 있었다.

"내 원격 조종기 이빨!"

씩 웃으며 말하는 찰리의 입에서 피가 뚝뚝 떨어졌다.

"나한테 고맙다고 해야지."

셔츠 뒤로 들어간 나뭇가지와 풀을 잡아 빼면서 헨리가 말했다.

"내가 아니었으면 이빨이 아직도 네 입속에 박혀 있었을 거야."

"흠, 알았어. 고마워. 내 자동차가 망가졌으니까 너도 미안하다고 해야 해."

헨리도 인정했다.

"정 원한다면…… 미안하다, 그럼. 하지만 맥스 형이 고칠 수 있을 거야."

"무선 안테나는 못 고쳐. 전에도 망가진 적이 있는데, 못 고치더라고. 네가 새로 사 줘야 해. 수백만 파운드쯤 들걸."

헨리는 원망스러운 목소리로 말했다.

“수백만 파운드라고! 그럴 리 없어.”

“맞아. 그렇다니까. 내 말을 못 믿겠다면, 맥스 형한테 물어봐.”

“직접 물어볼 거야.”

헨리는 자동차를 들고, 찰리와 함께 집 안으로 들어갔다.

찰리는 맥스에게 요전에 빠진 이빨 구멍 옆에 새로 생긴 피 묻은 구멍과 남아 있는 두 개의 흔들리는 이빨, 그리고 망가진 자동차를 보여 주었다.

맥스는 새로 생긴 구멍을 보고 놀라더니, 남아 있는

이빨들을 흔들어 보고 나서, 자동차를 자세히 살폈다. 그리고 바퀴는 별 문제 없이 고칠 수 있을 것 같지만 조종기에는 새 안테나를 달아야 한다며 백만 파운드쯤 돈이 들 거라고 했다.

찰리는 즐거운 듯 말했다.

"그래도 이빨은 빠졌어."

맥스는 이빨이 하나 빠질 때마다 찰리가 1파운드(만약 이빨 요정이 엄마의 부탁을 들어주면 50펜스)씩밖에 못 받으니 이빨 요정 때문에 벌이는 이 모든 부질없는 행동들은 그야말로 시간 낭비라는 점을 다시 한 번 분명히 했다.

맥스는 찰리에게 충고했다.

"이빨 요정은 잊어버려!"

찰리가 대답했다.

"싫어. 아주 좋은 생각이 있단 말이야."

이빨 요정에게!

이빨은 여기 없습니다.

숨겨 놓았습니다.

2파운드를 내시죠

그럼 내일 이빨을 이곳에 두겠습니다.

싫으면 말고요.

그날 밤 찰리는 이빨을 베개 밑에 두지 않았다. 대신 조심스럽게 쪽지를 적어 남겼다.

하지만 이빨 요정도 호락호락한 것 같지 않았다. 어쩌면 이래라저래라 시키는 것을 싫어하는 모양이었다. 다음 날 아침, 찰리가 쓴 쪽지는 그 자리에 그대로 남아 있었다. 하지만 뒷장에 답이 쓰여 있었다.

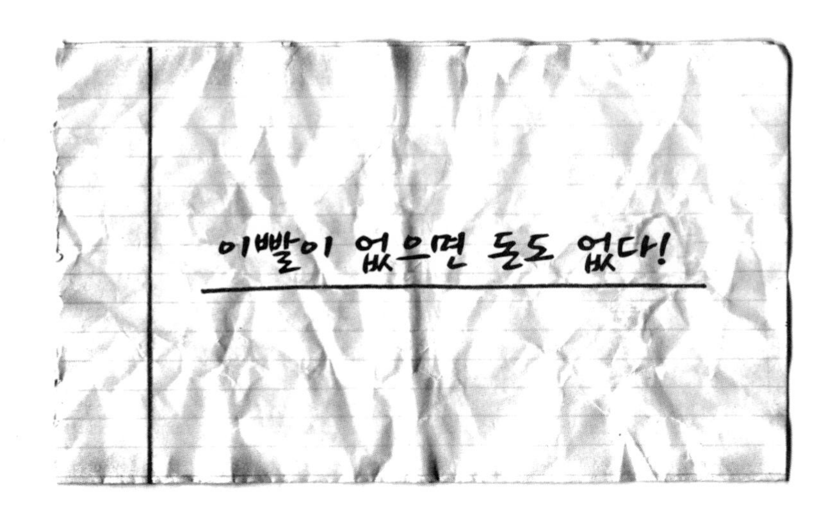
이빨이 없으면 돈도 없다!

# 제 3 장

## 세 번째 이빨

찰리는 화를 버럭 내며 소리를 질렀다.

"이빨이 없으면 돈도 없다고? 무슨 이런 요정이 다 있어! 이제 어떻게 하지?"

맥스가 말했다.

"그냥 가지고 있으라니까. 내가 전에도 말했잖아."

찰리 엄마가 물었다.

"아니, 도대체 무슨 생각이었던 거니? 이빨 하나에 2파운드라니! 우리 집에서는 어림도 없어."

찰리는 뚱한 목소리로 대답했다.

"헨리네 집에서는 이빨 하나에 2파운드란 말이에요. 어쨌든 이빨 요정은 적어도 1파운드는 두고 갔어야 해요! 다만 얼마라도 남겼어야 한다고요."

엄마가 따지듯 말했다.

"네가 베개 밑에 아무것도 놓아두지 않았잖아. 그리고 방도 깨끗하게 치우지 않았고! 어쨌든 걱정할 것 없어. 언제든 이빨을 베개 밑에 놓아두고 다시 한 번 시도해 볼 수는 있으니까. 내일까지 기다려 보자."

찰리는 강하게 반박했다.

"하지만 내일까지 기다리기 싫단 말이에요."

"흠, 내일까지 기다리기가 정 싫다면, 이 엄마가

이빨 요정 역할을 대신하면 되지. 네가 마음대로 쓸 수 있는 50펜스에다 덤으로 아삭아삭한 사과를 주마."

"50펜스요?"

찰리는 손에 든 이빨을 내려다보면서 덧붙였다.

"그게 다예요?"

"그래. 그리고 아랫니가 없는 너를 위해 얇게 썬 아삭아삭한 사과도. 식을 때까지 5분만 기다릴 수 있다면 플랩잭(두꺼운 영국식 비스킷:옮긴이)을 한 조각 줄 수도 있어."

찰리는 의기소침한 목소리로 말했다.

"엄마는 틀림없이 형에게도 플랩잭을 줄 거잖아요."

엄마도 인정했다.

"아마 그러겠지. 맥스가 방금 쓰레기를 버리고, 진공청소기로 현관을 치우고, 빗자루로 계단도 쓸어 주었으니까."

찰리는 한숨을 내쉬더니 플랩잭을 바라보았다.

"헨리는요? 우리는 뭐든 나눠 먹는데."

찰리 엄마가 마지못해 대답했다.

"오, 그래, 알았어. 이게 마지막 제안이야. 마음대로 쓸 수 있는 50펜스, 아랫니가 없는 너를 위해 얇게 썬 아삭아삭한 사과 한 개, 그리고 플랩잭 두 조각. 하나는 헨리 거."

마침내 찰리가 엄마의 제안을 받아들였다.

"돈하고 플랩잭은 받을게요. 사과는 필요 없어요."

"사과도 거래의 일부야."

요정 역할을 맡은 엄마는 단호했다.

찰리와 헨리는 헨리네 집에서 파티를 벌였다. 우선 사과를 먹어 치워야 했다. 그러고는 플랩잭을 해치웠다. 그다음에는 찰리가 받은 50펜스로 산, 길쭉한 신발 끈 모양의 감초 젤리를 먹었다. 오후 내내 두 아이는 이빨 사이에 생긴 구멍 사이에 젤리를 늘어뜨리고 마치 스파게티를 먹는

것처럼 느릿느릿 빨아 먹었다. 마침내 헨리 엄마는 두 아이에게 자기가 화내기 전에 당장 씹어 먹으라고 명령했다.

더는 먹을 것이 없어졌을 때, 찰리가 말했다.

"이제 뭐 하지?"

헨리가 물었다.

"흔들리는 나머지 이빨들은 어때?"

찰리가 이빨들을 만져 보았다. 오전보다 훨씬 더 흔들리고 있었다. 특히 플랩잭을 깨물 때 박혔던 이빨이 많이 흔들렸다.

"그 이빨은 심하게 흔들리는데."

헨리는 흥미롭다는 듯 이빨을 쳐다보며 말했다.

"계속 흔들어 봐. 아주 좋은 생각이 있어."

찰리도 말했다.

"나한테도 좋은 생각이 있어. 이 이빨을 네 베개 밑에 넣는 거야!"

"내 베개 밑에?"

"그래. 그럼 1파운드가 아니라 2파운드를 받을 테니까 말이야."

"그렇게 될까?"

헨리는 궁금해하며 아래층으로 달려 내려갔다. 찰리가 그 뒤를 따랐다. 헨리가 자기 엄마에게 물었다.

"엄마, 찰리가 자기 베개가 아니라 내 베개 밑에 이빨을 넣어도 돼요?"

헨리 엄마가 대답했다.

"괜찮을 거야. 하지만 찰리는 대체 왜 그렇게 하고 싶다니?"

찰리가 설명했다.

"1파운드가 아니라 2파운드를 받으려고요."

"이런, 세상에!"

헨리 엄마는 기가 막힌다는 표정을 짓더니 다시

물었다.

“아니, 이빨 요정이 너희 집에는 1파운드만 놓고 갔다는 거니, 찰리?”

찰리는 고개를 끄덕였다.

헨리 엄마가 말했다.

“아마 같은 요정이 아닌가 보구나.”

그러더니 헨리 엄마는 기대하는 듯한 목소리로 덧붙였다.

“물론 다음번에 우리 집에 어떤 요정이 올지는 알 수가 없지. 어쩌면 2파운드를 주는 요정이 아닐지도 몰라…….”

헨리는 눈을 가늘게 뜨고 엄마를 노려보며

말했다.

“10파운드짜리 지폐를 주는 요정이 올지도 몰라요. 그 생각은 해 보셨어요?”

헨리 엄마가 서둘러 말을 막았다.

“아니, 그럴 리는 없어. 10파운드짜리 지폐를 두고 가는 요정은 없어! 어리석은 생각은 마라, 헨리! 그리고 찰리에게 우리 집에 오는 이빨 요정은 반짝거릴 정도로 완벽하게 깨끗이 치운 방에만 찾아온다는 사실을 잊지 말고 알려 줘야지. 그러면 다음번 이빨을 우리 집에다 두는 것에 대해 다시 한 번 생각하고 싶어질지도 몰라, 찰리.”

찰리는 들뜬 목소리로 말했다.

“오, 아니에요. 저는 방을 무지하게 빨리 치워요.”

헨리 엄마가 겁주었다.

“요정은 침대 밑도 살펴보는걸. 그리고 바닥에 옷을 무더기로 쌓아 놓지는 않았는지 옷장 속도

들여다봐. 장난감도 각각 제자리에 아주 깔끔하게 정리해 두어야 해. 다 정리한 다음에는 진공청소기로 방을 한 번 밀어야 할 거야…….”

“진공청소기요?”

“먼지도 털어야 하고…….”

“먼지도요?”

“양말도 짝을 맞춰 둬야 하고…….”

“뭐라고요?”

“신발은 아래층으로 가지고 내려오고, 재활용품과 쓰레기도 버리고! 책장도 정리해야 하고! 그리고 (물론) 끔찍한 냄새가 나는 햄스터도 치워 버려야겠지.”

헨리가 화를 내며 대들었다.

“햄스터한테서는 아무 냄새도 안 나요! 햄스터 냄새밖에 안 난다고요. 대체 누가 사랑스러운 햄스터 냄새를 싫어한다는 거예요? 가자, 찰리!

너희 집에 가서 놀자. 아직 이빨이 빠진 것도 아니잖아!"

"나도 알아. 하지만 빠질 때를 대비해서 네가 네 방을 치워 두어야 할 것 같은데."

헨리가 물었다.

"내가 치워야 한다고? 네 이빨이잖아."

"네가 어지럽혔잖아."

헨리가 따졌다.

"나만 어지럽힌 건 아니지! 적어도 반은 네가 어지럽혔잖아. 더구나 동굴 놀이를 생각해 낸 건 너였어. 어제 내 침대 밑에 가져다 둔 진흙 깡통도 마찬가지고."

찰리가 반박했다.

"그건 그냥 진흙 깡통이 아니야. 과학적인 장치라고. 화석 만드는 기계야. 화석은 그렇게 만들어지는 거야, 진흙으로! 내 말을 못 믿겠다면

우리 맥스 형에게 물어봐. 어쨌든 내가 방 치우는 걸 도와주면, 내 이빨을 네 베개 밑에 넣게 해 줄래?"

헨리도 찬성했다.

"오, 알았어."

"분명히 헐거워지고 있어."

찰리는 한 손가락으로 참을 수 있는 한 가장 세게 이빨을 흔들면서 헨리에게 물었다.

"이빨을 빨리 뽑을 수 있는 다른 방법은 없어?"

헨리는 조심스럽게 대답했다.

"어쩌면 하나 더 기억해 낼 수 있을지도 몰라.

너만 좋다면 나는 너희 집으로 가서 네 방에 누워서 생각해 볼게. 그동안 네가 내 방을 치우기 시작하는 게 좋겠다."

찰리가 대들었다.

"너는 내가 멍청이인 줄 아니? 둘이 같이 누워서 생각하도록 하자. 그런 다음에 방도 같이 치우는 거야."

찰리와 헨리는 일단 먼저 헨리의 방 양탄자 위에 놓아둔 화석 만들기 기계 사이에 누워 궁리하기 시작했다.

헨리가 먼저 생각을 끝냈다. 자기 이빨이 아니기 때문에, 이빨을 뽑아 버리는 방법을 생각해 내기가 훨씬 쉬웠다. 찰리는 좋은 방법이 생각날 때마다 번번이 '아프지 않을까?' 하는 걱정이 들어 흐지부지해 버렸지만, 헨리에게 그건 문제가 되지 않았다. 그렇기 때문에 헨리는 로빈 후드가

사용했을 법한 '날아가는 멋진 화살로 뽑기' 법을 생각해 낼 수 있었던 것이다.

처음에 헨리는 그 방법을 비밀로 했다. 왜냐하면 그 방법이 효과가 있으면(헨리는 효과가 있을 거라고 확신했지만) 방을 치워야만 하기 때문이었다. 하지만 찰리가 옆에서 계속 이빨을 만지작거리며 "이렇게 하면…… 오, 그래! 혹시 아프면 어떡하지?" 하고 중얼거리고 있어서 비밀을 오래 간직하기가 힘들었다. 이빨은 점점 더 헐거워지고 있었다.

헨리는 자신의 방법을 사용해 보기도 전에 찰리의 이빨이 저절로 빠진다면 정말 수치스러울 거라고 생각했다. 그래서 찰리에게 말했다.

"아주 좋은 방법이 있기는 한데……."

처음에 찰리는 반대했다.

"싫어!"

"하지만 이빨을 뽑고 싶다며."

"그런 방법은 싫어. 분명히 아플 거라고! 틀림없어."

"해 보지도 않고 어떻게 알아?"

"뻔하잖아!"

헨리는 치과 의사처럼 차분한 목소리로 말했다.

"찰리! 장담하건대, 넌 (거의) 아무것도 느끼지 못할 거야. 2층 유리창도 없고, 원격 조종기로 움직이는 자동차도 없던 시절에 모든 사람들이 쓰던 방법이야."

"그냥 내가 손으로 흔들 거야."

찰리는 그렇게 대답하더니 그다음 이틀 동안 열심히 이빨을 흔들었다.

이틀 내내 헨리는 옆에서 졸랐다.

"야, 해 보자. 한 번만 해 볼게. 텔레비전에서 재미있는 것도 안 해. 심심하단 말이야!"

맥스가 찰리에게 말했다.

"그저 텔레비전에 볼 만한 프로가 없어서 심심하다는 이유로 헨리가 네 이빨을 뽑게 내버려 두면 안 돼!"

찰리가 대답했다.

"알아."

그래서 세 번째 이빨은 그대로 그 자리에 박혀 있었다.

이빨은 흔들거렸다. 얼마나 헐거워졌는지 마치 동물의 송곳니처럼 찰리의 굳게 다문 입술 사이로 삐죽 나올 정도였다.

그래도 이빨은 빠지지 않았다.

텔레비전에서 재미있는 프로그램도 하지 않았다.

찰리도 심심했다.

결국 찰리는 이렇게 말하고 말았다.

"좋아, 헨리. 가서 치실을 가져와!"

'날아가는 멋진 화살로 뽑기' 법을 쓰기 위해, 찰리의 이빨에 치실을 묶고 반대쪽 끝을 화살에 묶었다.

그런 다음 찰리와 헨리는 정원으로 나갔다. 헨리가 말했다.

"이제 활을 줘 봐."

"싫어. 이번에는 안 돼! 지난번에 너한테 원격 조종기를 주었다가 무슨 일이 벌어졌는지 생각해 보라고."

찰리는 스스로 화살을 활에 메겼다.

그런 다음 찰리는 있는 힘껏 화살을 당겼다.

그러고는 그 상태로 한참을 서 있었다. 그때 헨리가 버럭 소리를 질렀다.

"쏴!"

그러자 헨리가 그렇게 소리를 지를 줄은 생각도 못 하고 있던 찰리는 깜짝 놀라 펄쩍 뛰었다.

화살은 공중으로 날아갔다. 찰리의 이빨도 같이 날아갔다. 화살과 이빨은 멋진 곡선을 그리며 푸른 하늘로 높이 날아갔다. 그러다 정원 한구석에 멋지게 착륙했다.

이제 두 아이에게 남은 일은 헨리의 방을 치우는 일뿐이었다.

방을 치우는 일은 오랜 시간이 걸렸다.

# 제 4 장

# 네 번째 이빨

다음 날 찰리는 새벽 다섯 시 반에 헨리네 집으로 찾아갔다.

헨리 엄마는 눈을 껌뻑거리고 하품을 하면서 현관문을 열고는 신음 소리를 내며 말했다.

"이런, 찰리. 이 시간에 꼭 초인종을 누르고 이렇게 세게 문을 두드려야 했니? 분명……."

하지만 찰리는 이미 헨리 엄마를 지나친 뒤였다.

찰리는 계단을 달려 올라가 헨리의 방으로 쳐들어갔다. 그리고 자고 있던 헨리를 밀쳐 내고는 베개를 뺐다.

"저리 가아아아!"

매트리스에 머리를 부딪힌 헨리가 신음 소리를 내면서 화를 냈다.

"내 침대에서 내려가라고! 그리고 베개 내놔!"

찰리는 헨리의 귀 옆에 있는 봉투를 잡아채며 소리쳤다.

"찾았다!"

헨리가 말했다.

"이제 됐지? 그럼 집으로 돌아가!"

하지만 찰리는 집으로 가지 않았다. 침대에 털썩 주저앉아 봉투를 북 찢었다. 멋진 1파운드짜리 동전 두 개가 손바닥으로 떨어졌다.

그러자 찰리는 시끌벅적 요란하게 방 안을 펄쩍펄쩍 뛰어다니고, 소리를 질렀다.

"하! 놀라워! 멋져!"

노래도 불렀다.

"이빨 요정이 나한테 속았지롱, 이빨 요정이 나한테 속았지롱!"

찰리는 헨리를 흔들어 대며 일어나라고 다그쳤다.

헨리는 툴툴거리며 눈을 비비고는 찰리를 쳐다보더니 말했다.

"동전 두 개 중에 하나는 나에게 줘야 해!"

"싫어!"

"넌 진짜 못됐구나. 이빨을 뽑을 방법도 내가 생각해 냈고, 이빨을 넣어 둔 곳도 내 베개 밑이고, 내 방을 치우는 것을 도운 것도 나였어. 그리고 내 이빨 요정이라고!"

찰리가 반박했다.

"내 이빨이야!"

"뻔뻔한 놈!"

"욕심꾸러기!"

"돼지 같은 놈!"

찰리가 비웃었다.

"입고 있는 잠옷처럼 유치하기는."

그건 정말 야비한 행동이었다. 헨리는 자신이 절대 입지 않겠다고 맹세를 했던 꼬마 기관차 토마스가 그려진 잠옷을 입고 있었다.

그 말에 화가 난 헨리는 빈백 쿠션으로 찰리를 납작하게 깔아뭉개고, 그 위에 올라탔다.

찰리는 헨리를 겁주기 위해 갑자기 입을 다물고 기절한 척했다.

헨리가 커다란 쿠션을 들어 올리고 물었다.

"기절한 건 아니지?"

그때 찰리가 잽싸게 달려들어 헨리의 무릎을 두 팔로 감싸듯 잡아서는, 헨리를 누비이불에 말아 침대 밑으로 밀어 넣었다.

헨리는 침대 밑에서 똑바로 앉으려다 침대 밑바닥의 나무판자를 부수고 침대 밖으로 빠져나왔다. 그리고 매트리스를 찰리 쪽으로 던졌다.

그 바람에 책장이 쓰러지고, 그 위에 있던 햄스터 우리가 바닥으로 떨어졌다. 가정용 화석 만들기 기계도 망가지고 말았다. 헨리 엄마가 들어와 무시무시한 목소리로 야단을 쳤다.

"그만들 해!"

찰리와 헨리는 찍소리도 없이 방을 정리했고 그동안 헨리 엄마는 문밖에 서서 노려보았다. 정리가 다 끝났을 때 헨리 엄마는 이렇게 말했다.

"헨리, 넌 이제 외출 금지야. 찰리, 넌 집으로 돌아가라."

이전에도 찰리는 헨리네 집에서 창피하게 쫓겨난 적이 여러 번 있었다. 아마도 헨리가 찰리네 집에서 쫓겨난 횟수와 비슷할 것이다. 그래서 집으로 돌아가는 찰리는 그다지 기분이 나쁘지 않았다. 오히려 의기양양했다. 세 번째 이빨로 요정을 감쪽같이 속였기 때문이다. 게다가 찰리는 헨리가 꼬마 기관차 토마스 잠옷을 입고 있는 것을 두 눈으로 직접 보았다. 마음대로 쓸 수 있는 2파운드도 있었다.

그날 오후 찰리는 2파운드로 엄청나게 큰 버터스카치(버터에 갈색 설탕을 섞어 만든 사탕 또는 그런 맛이 나는 소스:옮긴이) 맛 팝콘을 한 봉지 사서는 헨리에게 보여 주려고 길거리로 가지고 나갔다. 헨리는 외출 금지를 당해서 의기소침해진 표정으로 침실 유리창 밖을 내다보고 있었다.

찰리는 팝콘을 전부 먹어 치우는 시늉을 했다.

헨리는 유리창 밖으로

뛰쳐나가 찰리를 죽이는 시늉을 했다.

찰리는 팝콘을 혼자 다 먹고 남은 부스러기를 헨리를 위해 남기는 시늉을 했다.

헨리는 입꼬리를 내리고 어깨를 으쓱이며 전혀 상관하지 않는다는 표정을 지어 보였다.

찰리는 거드름을 피우며 길을 따라 걸어갔다. 그러다 집으로 들어가기 직전에 손을 흔들려고 뒤를 돌아다보았을 때, 헨리의 얼굴을 보았다.

지어낸 표정이 아니었다. 헨리는 정말 슬퍼 보였다.

집 안으로 들어간 찰리도 기분이 영 좋지 않았다. 찰리는 우선 맥스를 찾았다. 그리고 얼마 지나지 않아 찰리는 다시 집에서 나와 거리를 달려 헨리네 집 현관으로 갔다.

찰리는 최대한 예의 바르게 현관문을 두드렸다. 헨리 엄마가 문을 열자 찰리는 아주 공손한

목소리로 말했다.

“저, 아침에 너무 일찍 깨워서 정말 죄송해요. 헨리 방을 엉망으로 만들고 헨리랑 싸운 것도 (물론 헨리가 먼저 시작했지만) 정말 죄송한데요, 2층으로 올라가서 저도 외출 금지를 당하면 안 될까요? 맥스 형이 그래야 공평하다고 했어요.

말로만 이러는 게 아니라 정말 죄송하게 생각하거든요. 정말이에요. 제 말을 못 믿으시겠다면 우리 맥스 형에게 물어보세요."

헨리 엄마가 결국 허락해 주었다.

"알았다, 찰리."

헨리와 함께 외출 금지를 당하기로 한 것은 정말 멋진 생각이었다. 찰리와 헨리는 커튼을 쳐서 헨리의 방을 극장처럼 만들었다. 그리고 둘 사이에 팝콘 봉지를 놓고 오후 내내 텔레비전을 보았다.

처음에 두 아이는 찰리의 네 번째 이빨이 빠지면 무엇을 살지 의논했다. 그리고 다시 한 번 이빨 요정을 속이려면 방을 깨끗이 치우는 것이 중요하다는 이야기도 나누었다. 팝콘에 대해서도 이야기했다. 버터스카치만 남은 딱딱한 부스러기가 얼마나 맛있는지. 찰리는 늘 그 부스러기를 천천히

빨아 먹고, 헨리는 늘 우적우적 빠르게 먹는다고 했다.

하지만 두 아이는 곧 이야기를 멈추었다. 아침에 너무 일찍 일어나 졸렸기 때문이다. 두 아이는 팝콘을 우적우적 먹으며 텔레비전을 보다가, 깜빡 졸다가, 잠결에 우적우적 팝콘을 먹고, 꿈을 꾸기도 했다. 이빨에 대해서는 까맣게 잊어버렸다. 이따금씩은 팝콘이 쏟아져 바닥에 떨어진 팝콘을 주워 먹기도 했다. 찰리가 깜빡 잠이 들 뻔한 순간, 헨리는 외출 금지를 당해 방 안에 있는 동안 열심히 생각해 낸 방법이 갑자기 떠올랐다.

"이빨 요정을 잡기 위한 덫을 놓으면 어떨까?"

그 말에 깜짝 놀란 찰리는 마침 입으로 털어 넣던 팝콘이 기도로 잘못 들어가는 바람에 캑캑거리며 팝콘을 토해 냈다. 바닥에 떨어진 팝콘을 주우려다 그만 들고 있던 팝콘 봉지가 기울어져 팝콘이 몽땅

쏟아져 버리고 말았다.

아래층에서 천장을 뚫고 볼 수 있는 투시력이라도 가진 것처럼, 헨리 엄마가 경고하듯 소리쳤다.

"헨리! 찰리!"

헨리는 다급한 목소리로 속삭였다.

"어서 주워! 엄마가 올라와서 화를 내시기 전에, 어서. 엄마가 하루 종일 기분이 안 좋아."

두 아이는 극장처럼 컴컴해진 방 안을 엉금엉금 기어 다니면서 팝콘을 주워, 줍는 대로 입에 집어넣었다.

"이상하지 않니?"

헨리는 유난히 딱딱한 버터스카치 부스러기를

우적우적 씹어 먹으면서 말을 이었다.

"팝콘은 처음 먹을 때는 아주 맛있는데, 중간엔 그저 그렇고 부스러기들은 형편없어. 그래도 계속 먹게 돼…… 찰리! 네 이빨!"

"뭐라고?"

"불을 켜 봐! 불을 켜 보라고!"

헨리가 빽 하고 소리를 지르더니 자기가 달려가서 불을 켰다.

하지만 불은 필요 없었다. 찰리는 무슨 일이 벌어졌는지 알았다.

이빨이 사라지고 없었다. 네 번째이자 마지막으로 흔들리던 찰리의 이빨! 이빨이 저절로 빠지고 없었다. 그 누구의 도움도 없이.

"대체 어디로 간 거지?"

헨리는 끙 하고 신음하며 말했다.

불을 켜자 더욱 놀라운 광경이 펼쳐져 있었기

때문이다. 쏟아진 팝콘들이 온 바닥에 흩어져 있었다. 그중 몇 알갱이는 얼룩져 있었다. 그것은 바로…….

헨리가 소리쳤다.

"피다! 이러니 맛이 이상했지!"

찰리가 울먹이며 말했다.

"맛이 이상한 게 지금 뭐가 중요해? 어서 이빨이나 찾게 도와줘!"

하지만 이빨은 어디에도 보이지 않았다. 찰리와 헨리는 여기저기를 찾아보았다. 두 아이는 도움이 필요해 맥스를 데려왔고, 맥스도 열심히 찾았다. 아이들은 방 안에 있는 모든 가구의 아래위를 비롯해 모든 틈새를

살폈다. 손에 잡히는 모든 조각이 다 이빨로 보였다.

아이들은 구석구석 찾아보지 않은 곳이 없을 때까지 계속 찾아보았다.

그러다 맥스가 끔찍한 말을 했다.

"너희 중에 누군가 먹은 게 틀림없어."

찰리가 되물었다.

"내가 내 이빨을 먹었다고?"

맥스가 말했다.

"실수로 말이야."

찰리가 말했다.

"하지만 그렇게 되면 알잖아. 딱딱하니까! 부서지면서 으드득 소리가 났을 거야!"

헨리가 끙 소리를 냈다. 헨리는 누가 찰리의 이빨을 먹었는지

알았다. 한참 전이었을 것이다. 헨리는 심지어 이빨 모양의 괴물이 자기 배 속에 들어 있는 것을 느낄 수 있었다.

한편 엄마들은 부엌에서 커피를 마시면서 찰리와 헨리가 먹는 사탕의 양(이 너무 많다는 것)과 학교 휴일(이 너무 길다는 것)에 대해서 투덜대고 있었다. 그때 아이들이 부엌으로 불쑥 들어왔다.

찰리가 물었다.

"만약 빠진 이빨을 삼켰다면 이빨 요정이 어떻게 할까요?"

두 엄마가 놀라서 큰 소리로 물었다.

"뭐라고! 누가 이빨을 먹었는데?"

"헨리가요!"

헨리 엄마는 놀라며 말했다.

"흔들리는 이빨이 있는지도 몰랐는데."

찰리가 대답했다.

"헨리한테는 없었지요. 제 이빨을 먹었어요."

그러더니 마지막으로 흔들리던 이빨이 빠지고 생긴 구멍을 보여 주었다.

찰리 엄마가 소리쳤다.

"헨리가 네 이빨을 먹었다고?"

"우적우적 씹어 먹었어요. 팝콘인 줄 알았대요……. 아, 웃지 마세요! 뭐가 재미있어요? 저는 이것만 알면 돼요. 이빨 요정이 꼭 실제로 이빨을 받아야만 하나요?"

말이 떨어지기가 무섭게 두 엄마가 한목소리로 대답했다.

"물론이지!"

## 제 5 장

# 많은 이빨들

찰리는 그건 말도 안 된다고 말했다.

그러자 찰리 엄마가 말했다.

"요정이 항상 공정하지는 않아."

헨리 엄마가 덧붙였다.

"더구나 너하고 헨리는 최근 몇 달 동안 단것을 너무 많이 먹었어."

찰리가 말했다.

“우리가 할 수 있는 일이 틀림없이 있을 거예요. 헨리를 통째로 베개 밑에 두는 건 어때요?”

엄마들은 고개를 가로저었다.

요정이 아주 깔끔하다는 것이 기억난 찰리가 다시 물었다.

“베개 밑에 단정하게 놓아두어도요?”

엄마들은 재미있어하며 대답했다.

“안 돼. 소용없을 거야.”

찰리가 물었다.

“왜요?”

헨리 엄마가 설명했다.

“이빨은 없을 테니까 말이다. 그렇지 않겠니?

가져갈 수 있는 이빨이 사실상 없는 거잖아."

찰리 엄마가 다시 일깨웠다.

"이빨이 없으면 돈도 없다!"

찰리는 절실한 마음에 말했다.

"흠, 그럼 헨리를 병원으로 데려가 수술을 시켜서 이빨을 꺼내요."

헨리가 빽 소리를 질렀다.

"수술? 무슨 수술?"

"내 이빨을 빼내는 수술!"

"어떻게?"

찰리는 의기소침해진 목소리로 대답했다.

"흠, 칼로 배를 가르든지 어떻게든 해야지."

"안 돼!"

헨리가 소리쳤다. 그리고 두 엄마는 누구의 이빨이든지 의사 선생님들은 너무 바빠서 삼킨 이빨을 꺼내기 위한 수술을 해 주지는 않을 거라고 말했다.

찰리가 투덜거렸다.

“난 이빨 요정이 미워요!”

헨리가 맞장구쳤다.

“나도요!”

맥스가 말했다.

“둘 다 따라와 봐!”

맥스와 찰리는 방을 같이 쓴다. 그렇다고 각자 비밀스러운 공간이 없다는 뜻은 아니다. 예를 들어 찰리는 속이 텅 빈 갈색 곰 인형을 가지고 있다. 맥스는…….

찰리는 맥스의 비밀 공간에 대해서는 전혀 알지 못했다. 맥스는 머리가 좋다. 맥스의 비밀들은 잘 감추어져 있었다.

맥스는 찰리와 헨리를 침실 한구석에 있는 낡은

상자 쪽으로 데리고 갔다. 상자에는 '과제물'이라고 적혀 있었다.

맥스는 과제물 상자에서 빨지 않고 공처럼 말아 놓은 축구 양말 한 켤레를 꺼냈다. 그리고 공처럼 말린 양말 한가운데에서 아주 작은 책을 꺼내 찰리에게 주었다.

책 표지에 '콜린스 영어 사전'이라고 적혀 있었다.

찰리가 물었다.

"뭐야?"

맥스가 웃었다.

찰리와 헨리는 서로를 바라보았다. 무슨 영문인지 알 수가 없었다. 하긴 누가 사전을 보고 좋아하겠는가? 그것도 과제물 상자 속 더러운 양말 사이에 있던 사전을 말이다.

맥스가 말했다.

"열어 봐!"

그건 책이 아니었다. 책처럼 생긴 상자였다. 각 페이지들이 풀로 붙어 있고, 가운데가 직사각형 모양으로 거칠게 파여 있었다. 그래서 표지를 열면 비밀스러운 공간이 나타났다.

그 비밀 공간에 이빨들이 들어 있었다.

맥스가 상자를 흔들자, 크림색으로 희미하게 빛나는 이상하고 작은 돌멩이들이 덜그럭거렸다. 끌처럼 생긴 앞니와 고대 언덕을 본뜬 모형 같은 어금니 들은, 괴상하고 으스스한 수집품이었다.

"지금까지 모두 열두 개야."

그렇게 말하고, 맥스는 이빨들을 다시 조심스럽게 싸서 상자에 넣어 두었다.

찰리와 헨리도 지금까지 대단히 멋진 것들을 본 적이 있었다.

둘의 친구인 샘은 붙이기만 하면 벌어진 상처처럼 보이는 가짜 상처 스티커를 가지고 있다.

어느 핼러윈 파티에서 시커먼 플라스틱 손톱이 박힌 핏빛 젤리도 받아 보았다.

과학 시간에는, 피부를 들어 올리면 총천연색으로 실제 크기와 똑같은 내장이 보이는 사람 모형도 보았다.

찰리와 헨리는 그런 것들을 보고 정말 멋지다고 생각했다.

하지만 평생 맥스의 비밀스러운 이빨 수집품보다 더 멋진 것은 본 적이 없었다.

그건 모형이 아니었다. 플라스틱도 아니고 장난감 가게에서 파는 가짜도 아니었다.

진짜 이빨이었다.

찰리가 비통하게 말했다.

"나도 이빨을 모아 둘걸."

헨리도 같은 생각이었다.

"그래, 그것들로 무엇을 할 수 있는지 생각해 봐. 저렇게 다 가지고 있다면 말이야."

"아주 멋진 식인종 목걸이도 만들 수 있어."

"플라스틱 입술에 진짜 이빨이 달린 끔찍한 가면도 만들 수 있어."

"이빨들을 얼린다고 상상해 봐. 파티 때 가짜 얼음으로 쓰는 거야!"

헨리가 말했다.

"아니면 영원히 간직할 수도 있어. 책에 구멍을 내서 말이야. 맥스 형처럼. 그 책, 정말 멋지지 않냐!"

찰리가 말했다.

"우리도 하나씩 만들자."

헨리도 신바람이 나는지 맞장구쳤다.

"그래. 그리고 이빨로 채우는 거야. 우리의

이빨들로! 다음번엔 누구 이빨이 흔들릴까?”

찰리가 대답했다.

“만약 네 이빨이 흔들리면 내가 빨리 빠지게 도와줄게! 내가 ‘철 빨랫줄로 쉽게 뽑기’ 법을 거의 완성했거든.”

헨리가 말했다.

“만약 네 이빨이 흔들리면, 아직 시도해 보지 않은 ‘맛있는 토피 사탕으로 떼 내기’ 법도 있어.”

그 새로운 소식을 들은 찰리와 헨리의 엄마는 이렇게 물었다.

“그럼 이빨 요정은 어떻게 하지?”

헨리가 대답했다.

“우리가 이빨 요정을 불러들이지 않으면 다시는 우리 방을 치울 필요가 없을 거예요.”

찰리가 말했다.

“이빨 요정은 꼬마들이나 믿는 이야기죠.”

헨리가 나무라는 듯한 투로 물었다.

“대체 어떤 사람들이 자신의 이빨을 돈을 받고 판다는 거예요?”

찰리가 덧붙였다.

“그리고 잠자는 동안 이빨 요정들이 침대 주위를 기어 다니는 것을 원하는 사람이 어디 있겠어요?”

헨리가 거들었다.

“나는 아니에요!”

찰리도 덧붙였다.

“이빨 요정은 정말 이빨 낭비라고요. 우리 말을 못 믿겠다면 우리 맥스 형에게 물어보세요!”

우리 장난꾸러기 찰리가 이빨이 빠지기 시작했습니다.

옛날 우리나라에는 아이들이 빠진 이빨을 지붕 위로 던지면서 까치에게 '헌 이 줄게, 새 이 다오' 하고 비는 풍습이 있었습니다. 외국에는 빠진 이빨을 베개 밑에 두는 풍습이 있답니다. 그러면 밤사이 이빨 요정이 찾아와 이빨을 가져가는 대신 돈을 준다고 믿지요.

《찰리, 처음으로 이빨을 뽑다!》는 바로 찰리와 자칭 '흔들리는 이빨 전문가'인 친구 헨리가 온갖 방법을 동원해 이빨을 뽑고, 이빨 요정에게서 돈을 받아 내려고 하면서 벌어지는 소동에 관한 이야기입니다.

이빨에 무거운 물건을 매달아 2층 창문에서 던지고, 원격 조종기로 조종하는 자동차를 이용해 보고, 이빨과 화살을 실로

연결해서 화살을 쏘아 보기도 하지요. 그렇게 고생해서 뺀 이빨을 헨리가 먹어 버리는 소동까지 일어난답니다.

찰리는 억울하고 분했지요. 그때 이빨을 요정에게 주는 것을 늘 '이빨 낭비'라고 했던 맥스 형이 자기만의 수집품을 보여 줍니다. 늘 그렇듯이 찰리는 또 한 번 형에게 감탄합니다.

여러분도 이빨을 뽑은 경험이 있지요? 여러분은 어떻게 이빨을 뽑았나요? 그 이빨들은 어떻게 했나요? 아직 이빨이 빠지지 않은 친구들은 이빨을 어떻게 하고 싶은가요? 찰리처럼 재미난 자기만의 방법이 있다면 살짝 들려주세요.

지혜연

찰리의 말썽은
계속됩니다!